LES BLAGUES DE toto

1. L'école des vannes

Scénario et dessin

Thierry Coppée

Couleur

Lorien

D1207298

DELCOURT

Merci à Valérie, Théo et Julien pour leur patience et leur soutien.
Merci à Mich pour son message de février.
Merci à Guy pour sa confiance.

À Papy et à Mamy.

www.facebook.com/blaguesdetotobd

Mon nom est Toto

1ᴱᴿ SEPTEMBRE...

BONJOUR, AVANT DE COMMENCER À TRAVAILLER VOUS ALLEZ ME DIRE VOTRE NOM ET LE MÉTIER DE VOTRE PAPA, D'ACCORD! QUI COMMENCE ?

MOI, M'DAME. J'M'APPELLE JULES ET MON PÈRE EST PLOMBIER !

QUEL BEAU MÉTIER! QUELQU'UN D'AUTRE VEUT SE PRÉSENTER!

MADAME, JE M'APPELLE CAROLINE ET MON PAPA EST COIFFEUR.

BIEN, BIEN.

ET TOI, MON GARÇON, COMMENT T'APPELLES-TU ?

TOTO, ET MON PÈRE, IL EST MORT !!

HO! ET, EUH, QUE FAISAIT-IL AVANT DE MOURIR ?

BEN, IL A FAIT...

AAARGH

Je pense à toi ...

Je t'aime, mais …

DIS-MOI, TOTO, EST-CE QUE TU ME TROUVES JOLIE ?

OUAIS, TU ES PAS MAL !

ALORS QUAND NOUS SERONS GRANDS, TU TE MARIERAS AVEC MOI. D'ACCORD ?

AVEC TOI ! TU RIGOLES, C'EST IMPOSSIBLE !

BOUHOU ! MAIS TU VIENS DE DIRE QUE J'ÉTAIS JOLIE !

ATTENDS, CE N'EST PAS CE QUE TU PENSES !

CHEZ NOUS, ON SE MARIE QU'EN FAMILLE : MON PÈRE AVEC MA MÈRE, MON ONCLE AVEC MA TANTE, MAMIE AVEC PAPY, TU ME COMPRENDS !

?

Le cercueil

MAIS QUE FONT-ILS ? C'EST LA SEULE CLASSE QUI N'EST PAS ENCORE SORTIE !

ÇA Y EST ! J'EN VOIS UN. JE CROIS QUE C'EST VOTRE FILS.

HA ! ENFIN !

TU PEUX M'EXPLIQUER POURQUOI VOUS NE SORTIEZ PAS EN MÊME TEMPS QUE LES AUTRES CLASSES ?

L'INSTIT' NOUS A COLLÉS POUR NOUS PUNIR D'AVOIR FAIT LES GUIGNOLS CET APRÈS-MIDI

MAIS SI VOUS ÊTES **TOUS** PUNIS, QU'EST-CE QUE TU FAIS ICI, ALORS ?

MOI, C'EST DIFFÉRENT, JE SUIS RENVOYÉ !

Lessive conseillée

HA! MAIS QUI VOILÀ, C'EST MON COPAIN TOTO!

MAMAN VA LAVER LE LINGE SALE ?

NON, NON, JE VAIS LAVER MON CHIEN !

LAVER TON CHIEN AVEC DE LA POUDRE À LESSIVER, TU VAS LE TUER !

MAIS NON ! MAIS NON !

UNE SEMAINE PLUS TARD.

HA, MAIS QUI VOILÀ, C'EST MON COPAIN TOTO !

?

COMMENT VA TON CHIEN ? IL EST PROPRE ?

BEN, IL EST MORT.

OH !

JE T'AVAIS DIT DE NE PAS UTILISER DE LA POUDRE, IL Y A DU SHAMPOOING POUR CELA !

LA POUDRE ÉTAIT TRÈS BIEN, MAIS PAS LE CYCLE DE RINCAGE DE LA MACHINE À LAVER !

COFFÉE 09/03

OUiiN!
JE NE VEUX PLUS ALLER À L'ÉCOLE.

MAIS POURQUOI DONC, MON PETIT TOTO ?

MADEMOISELLE JOLIBOIS N'ARRÊTE PAS DE M'EMBÊTER. JE SUIS SÛR QU'ELLE ME DÉTESTE.

NE T'INQUIÈTE PAS, FISTON! DEMAIN, J'IRAI LA VOIR ET ELLE VA M'ENTENDRE.

SNIF SNIF

MADEMOISELLE, COMMENT OSEZ-VOUS PROFITER DE VOTRE MÉTIER POUR PERSÉCUTER MON FILS COMME VOUS LE FAITES?

PARDON ?

MAIS ABSOLUMENT PAS, MADAME!

HA OUI, CE N'EST PAS CE QU'IL ME DIT!

TOTO, DIS-MOI COMBIEN FONT DEUX FOIS TROIS?

OUiiN!
TU VOIS, ELLE RECOMMENCE!

Le vestiaire

BONJOUR, LES ENFANTS. VOUS IREZ À TROIS PAR CABINE POUR VOUS DÉSHABILLER. GARDEZ SLIP, CHEMISETTE ET CHAUSSETTES. QUE CEUX QUI ONT DES LUNETTES N'OUBLIENT PAS DE LES PRENDRE POUR LE TEST DE LA VUE. VOUS ATTENDREZ ENSUITE QUE JE VIENNE VOUS CHERCHER POUR ALLER CHEZ LE DOCTEUR. RESTEZ CALMES CAR IL N'AIME PAS LE BRUIT !

TOTO, YASSINE ET IGOR, ENTREZ ICI.

POURQUOI AVEC EUX ?

ET POURQUOI AVEC LUI ?

DOMMAGE QU'ON NE SOIT PAS AVEC OLIVE. HEIN, TOTO ?

REGARDE PLUTÔT DU CÔTÉ D'IGOR, CRÉTIN !

WOUAHA

?

MAIS ELLES SONT TOUTES PETITES !

T'AS PAS VU LES TIENNES, ELLES SONT PLEINES DE PLIS, DEMANDE À TA MÈRE DE LES REPASSER !

HAHAHA ! QUE MA MÈRE ME LES REPASSE, JE VEUX VOIR ÇA !

ET LES GARS ! REGARDEZ PAR ICI, J'AI MÊME DES PETITS POILS DESSUS !

BON, C'EST FINI VOS COCHONNERIES, J'OUVRE LA PORTE !

?

- SOUPIR -

BEN QUOI ?

COPPÉE 07/03

ET POUR TERMINER MON EXPOSÉ, J'AIMERAIS FAIRE UNE PETITE EXPÉRIENCE.

QUI VEUT VENIR ?

MOi, MOi!

?

VEUX-TU BIEN FAIRE LE POIRIER, TOTO ?

FASTOCHE.

À PRÉSENT, REGARDEZ BIEN LA COULEUR DE SON VISAGE.

POC

MERCi, TOTO. TU PEUX TE RELEVER!

QUi PEUT MAINTENANT M'EXPLIQUER POURQUOI LE SANG S'ACCUMULE DANS LA TÊTE DE TOTO, ALORS QUE SES PIEDS NE ROUGISSENT PAS QUAND IL EST DEBOUT ?

MOi, JE SAiS!

C'EST PARCE QUE SES PIEDS, EUX, NE SONT PAS VIDES!

CRÉTIN!

19

BONJOUR, MADEMOISELLE, JE VIENS VOUS VOIR SUITE AU MOT ÉCRIT DANS LE JOURNAL DE CLASSE DE MON FILS.

HA OUI ! ENTREZ, MONSIEUR.

JE VOULAIS VOUS RENCONTRER CAR TOTO N'EST PAS UN TRAVAILLEUR, MAIS IL EST AUSSI UN TRICHEUR.

HUM ! BRAVO GAMIN !

IL A RÉUSSI À COPIER SUR SON VOISIN. REGARDEZ LES DEUX CONTRÔLES. À LA PREMIÈRE QUESTION : QUEL EST LE NOM DU PREMIER HOMME QUI A MARCHÉ SUR LA LUNE ?

ILS ONT RÉPONDU : ARMSTRONG, C'EST JUSTE !

VOYEZ LA SUITE, À LA DEUXIÈME QUESTION OÙ JE DEMANDAIS LE NOM DE L'EXPÉDITION, ILS M'ONT RÉPONDU : STAR WARS III.

ÉVIDEMMENT, C'EST PLUS CLAIR MAIS IL EST DÉJÀ ARRIVÉ QUE DEUX ENFANTS ÉCRIVENT LA MÊME IDIOTIE !

EN EFFET.

MAIS À LA TROISIÈME QUESTION, J'AI DEMANDÉ LA DATE DE CET ÉVÉNEMENT. SON VOISIN M'A ÉCRIT : "JE NE SAIS PAS."

ET TOTO ?

"MOI NON PLUS !"

J'AI REÇU CE MATIN LES PHOTOS DE CLASSE. ELLES SONT VENDUES AU PRIX DE TROIS EUROS.

ET JE VOUS CONSEILLE DE LES ACHETER.

PENSEZ QUE CELA RESTERA UN MERVEILLEUX SOUVENIR DE VOTRE PASSAGE DANS MA CLASSE.

VOUS VOUS DIREZ EN LA REGARDANT:"TIENS, C'EST YASSINE, IL EST INFORMATICIEN À PRÉSENT!"

OU ENCORE: "MAIS C'EST CAROLE! ELLE EST DEVENUE AVOCATE."

OU BIEN:"TIENS LÀ, C'EST IGOR. IL EST PHYSICIEN MAINTENANT!"

LÀ, C'EST OLIVE, ELLE EST DENTISTE
. . .

ET LÀ,C'EST MADEMOISELLE JOLIBOIS
. . .

...ET ELLE EST MORTE!

COTTÉE 10|03

23

24

Dessine-moi deux vaches

Les groseilles

Cadeau de fin d'année

30 JUIN...

YASSINE, JE TE REMERCIE POUR CE JOLI, HEU...

C'EST UN VASE, MADAME.

QUE VOIS-JE ? MÊME TOI, TOTO, TU AS PENSÉ À MOI COMME C'EST CHARMANT !

NE ME DIS RIEN, LAISSE-MOI DEVINER !

CE SONT DES ... CHOCOLATS ?

NON !

AH !

UN GÂTEAU PEUT-ÊTRE ?

OH, NON, NON !

HOULALA MAIS ÇA COULE !

MMH, JE CROIS QUE J'AI DEVINÉ ! CE SONT DES... CORNICHONS AU VINAIGRE !

GLUP

MAIS NON, C'EST UN P'TIT CHIOT !

COPPÉE 04/03

29

30

Il était un petit navire

(*) SE PRONONCE : "YAUT" OU [jɔt].